D1232837

NOTE DE L'ÉDITEUR

Vous trouverez dans chaque volume de la série
CARD CAPTOR SAKURA
une carte marque-page représentant les personnages de la série.
Collectionnez-les et gardez-les précieusement...
Elles vous seront très utiles !

Card Captor Sakura, Vol. 9
a été réalisé par

CLAMP

SATSUKI IGARASHI
NANASE OHKAWA
MICK NEKOI
MOKONA APAPA

JE PENSE QUE JE VAIS
VOUS CRÉER QUELQUES ENNUIS...

MAIS AVEC TOI, SAKURA,
TOUT IRA BIEN !

* LES JAPONAIS ADORENT CE GENRE DE COUTUMES IMPORTÉES DE DIVERS PAYS D'EUROPE, QUI PEUVENT NOUS PARAÎTRE DÉSUÈTES.

KINO-MOTO À L'APPAREIL...

AH, SONOMI...

UN GRAND MERCI POUR LA SAINT-VALENTIN,

LE CADEAU DE SAKURA NOUS A VRAIMENT FAIT PLAISIR !

HEIN ?

GRAND-PÈRE ?

MAIS PEUT-ÊTRE QUE CES CHOCOLATS N'ÉTAIENT PAS POUR MOI ?

MAIS SI, BIEN SÛR !

TANT MIEUX

COMME J'EN AI MANGÉ, J'AURAIS ÉTÉ EMBARRASSÉE SI TU AVAIS VOULU LE REPRENDRE...

MERCI !

plop

JE PEUX L'OUVRIR ?

OUIP !

PARDON, C'EST PAS TERRIBLE !

MEUH... NON, IL EST RÉUSSI CET ÉTUI À "BAGUETTES*" !

AHEM...

EUH... C'EST UNE TROUSSE !

OUPS...

NAN ! ARGH !

*LES ÉCOLIERS MANGENT DES PLATEAUX REPAS À MIDI ET EMMÈNENT LEURS BAGUETTES AVEC EUX.

22

ALORS, COURAGE, SHAOLAN !

D'ACCORD ?

GRIP

COMMENT DIRE

25

MASAKI AMAMIYA

DATE DE NAISSANCE
18 NOVEMBRE

OCCUPATION
DIRECTEUR DE L'AMEMIYA CORPORATION

METS FAVORI
CUISINE JAPONAISE

METS DÉTESTÉ
AUCUN

APPRÉCIE
LES ARCS-EN-CIEL

COULEUR PRÉFÉRÉE
BRUN

FLEURS PRÉFÉRÉES
FLEURS DE CERISIER (SAKURA), ŒILLETS (NADESHIKO)

SAIT CUISINER
LES PLATS JAPONAIS TYPIQUES

DÉTESTE
LES LONGS VOYAGE EN VOITURE

HOBBY
COLLECTIONNE LES JEUX D'ÉCHECS

TALENT
RIEN DE PARTICULIER

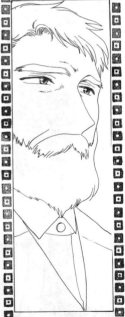

MASAKI AMAMIYA

26

TU M'AS FAIT PEUR ! QU'EST-CE QUI T'ARRIVE ?

JE SUIS FATIGUÉ CES JOURS-CI !

C'EST DINGUE, HIER AUSSI JE ME SUIS ENDORMI COMME ÇA !

JE T'AI ATTENDU À LA MAISON MAIS TU TARDAIS TELLEMENT...

ET PERSONNE NE RÉPONDAIT AU TÉLÉPHONE...

DÉSOLÉ, JE NE L'AI PAS ENTENDU SONNER !

C'EST LE JOUR BLANC,

VOICI POUR SAKURA !

28

DÉSOLÉ DE VOUS AVOIR FAIT ATTENDRE !

NON, C'EST MOI QUI T'AI PRÉVENU AU DERNIER MOMENT !

CE N'EST RIEN !

32

SONOMI M'A DONNÉ...

LES CADEAUX DE SAKURA POUR LA SAINT-VALENTIN !

LES MÊMES QUE CEUX QUE NOUS ENVOYAIENT NADESHIKO CHAQUE ANNÉE...

DES CHOCOLATS, UNE LETTRE ET UN ŒILLET...

ELLE ME DÉCRIVAIT AVEC APPLICATION, DANS SA LETTRE,

COMBIEN ELLE ÉTAIT HEUREUSE !

SAKURA KINOMOTO

ET...

COMME SAKURA DOIT L'ÊTRE AUJOURD'HUI...

JE VOUDRAIS QUE TU LUI DONNES CE CADEAU,

POUR LE JOUR...

JE SUIS SÛR QUE ÇA PLAIRA À SAKURA !

IL Y A QUELQUE CHOSE QUE J'AI TOUJOURS VOULU TE DIRE...

JE LE SAVAIS...

MERCI !

ET PARDONNE MOI !

SI NADESHIKO T'A CHOISI,

C'EST PARCE QUE TU SAVAIS, MIEUX QUE QUICONQUE, LA RENDRE HEUREUSE.

MAIS...

JE N'AI PAS DE FAMILLE...

ON NE SAIT MÊME PAS OÙ JE SUIS NÉ...

C'EST NORMAL QUE VOUS N'AYEZ PAS VOULU LAISSER VOTRE PRÉCIEUSE NADESHIKO À UN HOMME TEL QUE MOI !

NON, C'ÉTAIT INJUSTE !

JE N'AI EU MA FILLE QUE SEIZE ANS PRÈS DE MOI, ET JE ME SUIS SENTI SEUL LORSQU'ELLE EST PARTIE AVEC TOI...

CHUIS RENTRÉE !

AH, TE VOILÀ !

C'EST MOI !

KÉZAKO ?

C'EST LE CADEAU DE LA SAINTE-MATHILDE, C'EST LE PÈRE DE TA MAMAN QUI TE L'OFFRE...

IL TE REMERCIE POUR LE CHOCOLAT DE LA SAINT-VALENTIN !

GRAND-PÈRE EST VENU ?

NON, JE SUIS ALLÉ LE VOIR AUJOUR-D'HUI !

AH BON

COMME JE SUIS CONTENTE

DE LUI AVOIR FAIT PLAISIR !

OUAHOU !

TU VAS L'ESSAYER ?

JE PARIE QUE ÇA TE VA !

MAIS SI GRAND FRÈRE RENTRAIT...

IL VA SE MOQUER !

L'HISTOIRE SE RÉPÈTE UN PEU !

CES DERNIERS TEMPS...

NOC NOC NOC

TAPTAPTAPTAP

VL'OUF

OUARGH !

VLAM

MS MS

CHANGEMENT DE COSTUME ÉCLAIR !

PFOU

45

EST-CE QU'UN JOUR JE RENCONTRERAI MON GRAND-PÈRE ?

OUI,

C'EST CERTAIN !

TOC

HIHI

HANNNNN

CETTE MONTRE, C'EST UN CADEAU DE...

YUKI TO ♡

IL EST PASSÉ ME LA DONNER LE LENDEMAIN DE LA SAINT-VALENTIN...

J'ÉTAIS CONTENTE, MAIS LUI AVAIT L'AIR SI FATIGUÉ...

53

CLANG

ME VOILÀ !

HÉ, SAKURA, J'AI ESQUIVÉ TON ENTRÉE FRACASSANTE !

JE NE ME FAIS PAS AVOIR TROIS FOIS PAR LA MÊME ATTAQUE...

HÉ !

HÉ !

VLAM

ELLE M'ÉCOUTE ?

UNE LETTRE ?

PLOM

HO HO !

ET ELLE VA BIEN ?

DE LA PART DE MELLE MIZUKI !

OUI !

54

Chère Sakura,

*Merci beaucoup pour ta missive !
Tes gentilles lettres me font toujours
plaisir. Mon stage se poursuit en Angleterre,
où il fait plutôt froid... Je suppose que les
cerisiers sont déjà en fleurs chez toi ?*

*Tu m'as parlé de ce nouvel élève, de
cette sensation liée à la présence de
Clow Lead, et des évènements étranges
survenant à Tomoeda... Je suis désolée, mais
pour l'instant je n'ai absolument rien à
t'apprendre. Mon rôle était juste limité
à te remettre la clochette lunaire...*

AH
BON...

*Mais je suis persuadée que tu,
Sakura, tu sauras surmonter ces
problèmes en gardant le sourire.
L'Angleterre, c'est très loin, mais
je t'encourage du fond du cœur !
Voilà, à bientôt, en espérant
se revoir vite.*

Kaho Mizuki

SAKURA
NOMOTO

IL Y A
UNE AUTRE
FEUILLE....

FLAP

TOUT LE MONDE M'ADORE ?

Juste un dernier mot...

« Tout le monde t'adore, Sakura »
et
« Sakura, tu connais la formule
qui rend invincible »

N'oublie pas cela !

ET LA FORMULE QUI REND INVINCIBLE ?

AVEC TOI SAKURA...

TOUT IRA BIEN !

TOUT IRA BIEN, OUI !

MAIS

MERCI BEAU-COUP, MELLE MIZUKI !

COMMENT SE FAIT-IL QU'ELLE SE SOUVIENNE POUR CLOW ?

58

QU'EST-CE QUI SE PASSE TOYA ?

MERCI

IL A UN PROBLÈME DE SANTÉ ?

NON, IL EST JUSTE ENDORMI !

MAIS...

EN CE MOMENT, IL DORT MÊME PENDANT LES COURS...

IL S'EST EFFONDRÉ SUR LE CHEMIN DU RETOUR, ET N'A PLUS ROUVERT LES YEUX...

IL N'EST PAS MALADE !

J'ESPÈRE QUE C'EST PAS UNE MALADIE...

ET QU'IL VA VITE SE REMETTRE !

MAIS...

MAIS ?

QUAND IL SE RÉVEILLERA, IL AURA UNE FAIM DE LOUP, ALORS PRÉPARONS-LUI QUELQUE CHOSE !

EUH... OUI !

CLANC

FLAP FLAP FLAP

WINK

YUÉ
...

SÛR
QUE LA MAGIE
DE SAKURA CROÎT
À MESURE QU'ELLE
TRANSFORME LES
CLOW CARDS EN
SAKURA CARDS...

MAIS ÇA NE SUFFIT PAS À SOUTENIR L'EXISTENCE DE YUÉ !

ET S'IL S'ÉVANOUIT, SA FORME D'EMPRUNT DISPARAÎTRA ÉGALEMENT.

SI CELA CONTINUE, YUÉ DISPARAÎTRA À JAMAIS !

YUKITO N'EXISTE QU'À TRAVERS YUÉ...

IL FAUT QU'IL RÉALISE...

HEIN ?

TU M'ÉPLUCHES CES CAROTTES ?

SHRIS SHRIS

AH...

OUI !

ÇA VA MIEUX ?
C'ÉTAIT UN DÉLICE !
VRAIMENT BON !
HEU
JE PRÉPARE LE THÉ !
TAP
TAP
MERCI !
DÉSOLÉ DE VOUS CAUSER DU SOUCI !
OUI, JE N'AI FAIT QUE DORMIR.
PAS MAL !
FLOUP FLOUP

TOYA...

YUKI...

* LES BULLES SE CROISENT

QUOI ?

VAS-Y, D'ABORD !

ÉCOUTE MOI BIEN...

ET VOILÀ !

GARDE ÇA POUR PLUS TARD !

JE VAIS T'AIDER...

MERCI !

...

POP

JE VAIS BOSSER !

ZHIP

DANS CE CAS, JE VAIS Y ALLER AUSSI.

RESTE À LA MAISON, JE TE RACCOMPAGNERAI EN RENTRANT DU BOULOT !

D'ACCORD, JE VAIS ATTENDRE EN COMPAGNIE DE SAKURA.

TU VEUX BIEN ?

OUI !

HEIN
?

QUOI
?

IL Y A
QUELQUE
CHOSE
QUE TU NE
COMPRENDS
PAS
?

BRRRRRRPP

NON,
NON
!

CE
N'ÉTAIT
QU'UNE
IMPRESSION
?

71

KÉLO ?

CLANG

L'AURA DE CLOW EST LÀ !

26

SHOKO TSUJITANI

DATE DE NAISSANCE
17 JUILLET

MÉTIER
PROFESSEUR DES ÉCOLES
(MUSIQUE)

METS FAVORI
CHOCOLAT

METS DÉTESTÉ
LES AUBERGINES

AIME
LE CINÉMA

COULEUR PRÉFÉRÉE
BLEU

FLEUR FAVORITE
BOUGAINVILLIER

SAIT CUISINER
LA PAELLA

DÉTESTE
LE DÉSORDRE

HOBBY
COLLECTIONNE LES VERRES

TALENT
PRATIQUE LE MARATHON

SHOKO TSUJITANI

BON !
J'Y VAIS
AUSSI
!

BONG

KESSEU-
KESSE
QUE
ÇA
?

Y'A UNE
BARRIÈRE
INVISIBLE,
IMPOSSIBLE
D'ENTRER
!

INVOCATION
DE LA FOUDRE

82

SAKU-RAAA !

EH BIEN, IL A DU COURAGE CE SHAOLAN...

IL VA SE FAIRE MAL AU MENOTTES...

IL FAUT QUE JE TROUVE QUELQUE CHOSE !

MAIS QUELLE CARTE UTILISER ?

SI J'UTILISE WATERY, JE VAIS AGGRAVER LA SITUATION,

FIREY ME FERA BRÛLER AUSSI, QUE FAIRE ?

MAIS BIEN SÛR...

VRRR VRRR

VRR

OUI ! ET MAINTE-NANT...

PLACEZ-VOUS DERRIÈRE MOI !

WINDY !

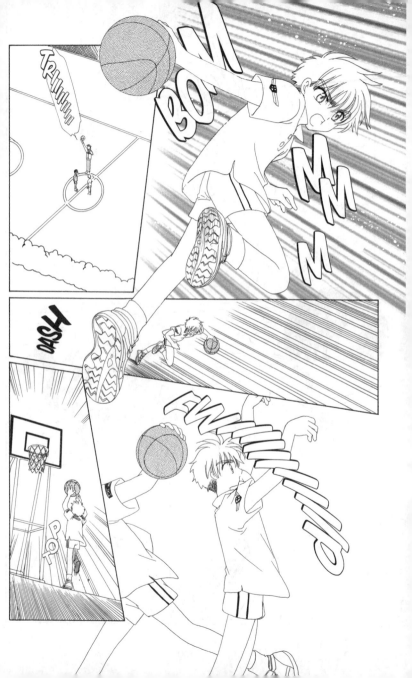

100

VOILÀ, LE COURS D'ÉDUCATION PHYSIQUE EST TERMINÉ !

DING DONG DING DONG !!

JE ME LÈVE DE PLUS EN PLUS TARD EN CE MOMENT...

MÊME EN MARCHANT, J'AI ENVIE DE DORMIR...

ZURTUP

IL Y A QUELQUE CHOSE QUE JE DÉSIRE, YUÉ...

KERBÉROS...

MAIS TU NE DOIS PAS ENCORE LE SAVOIR,

IL NE TE RESTE PRESQUE PLUS DE FORCE MAGIQUE !

SI LE NOUVEAU MAÎTRE NE TE DONNE PAS D'ÉNERGIE, TU AS UN DONNEUR À TES CÔTÉS...

TON CŒUR ORIGINEL EST DIFFÉRENT DE TON CŒUR D'HUMAIN. ET CE N'EST PAS SIMPLE POUR TOI...

MAIS JE PENSAIS QUE CELA T'OUVRIRAIT L'ESPRIT,

ET PUIS ÇA ME PLAÎT BIEN...

PAR CONTRE, CE QUI M'EMBÊTE C'EST QUE TU APPRENNES MON EXISTENCE TOUT DE SUITE !

TU VAS DONC

L'OUBLIER !

HEIN ?

EST-CE QUE ÇA VA ?

JE ME SUIS ENCORE ENDORMI D'UN COUP ?

OUI, VOUS VOUS ÊTES EFFONDRÉ SUR MOI !

DÉSOLÉ, JE N'ÉTAIS PAS TROP LOURD ?

EN PLUS, JE ME SUIS DÉPLACÉ INCONSCIEM-MENT...

HO HISSE !

MERCI BIEN !

NON !

IL FAUDRAIT QUE TON CŒUR D'HUMAIN S'ÉVEILLE AU PLUS VITE, YUÉ !

YUÉ !

MIKA TSUTSUMI

DATE DE NAISSANCE
26 SEPTEMBRE

MÉTIER
PROFESSEUR DES ÉCOLES
(ALGÈBRE)

METS FAVORI
NOUILLES

METS DÉTESTÉ
LE CHOU

APPRÉCIE
FAIRE SA LESSIVE

COULEUR PRÉFÉRÉE
JAUNE

FLEUR FAVORITE
ŒILLETS MULTICOLORES

SAIT CUISINER
DES BOUILLIES POUR BÉBÉ

DÉTESTE
REMPLIR DES FORMULAIRES

HOBBY
APPRÉCIE LA MUSIQUE

TALENT
PASSE DES NUITS
BLANCHES SANS
PROBLÈME

MIKA TSUTSUMI

SI
TU GARDAIS
TON CALME
ET QUE TU TE
CONCENTRAIS...

TU
DEVIENDRAIS
SÛREMENT
BIEN PLUS
FORT
!

TU
PENSES
PEUT ÊTRE
À SAKURA
?

KO
WA
?

NAN
!

OH
HO
HO

116

118

EH BIEN DE TON AMOUR POUR ELLE !

MAIS...

ELLE AIME DÉJÀ QUELQU'UN !

SAKURA EST SI NAÏVE, ELLE NE LE SAURA JAMAIS SI TU NE LUI DIS PAS !

C'EST CE QUI LA REND SI MIGNONNE !

C'EST UNE RAISON POUR NE PAS LUI DIRE ?

MAIS CHAQUE FOIS QUE J'ESSAIE, IL SE PASSE UN TRUC...

QUESTION DE TIMING ?

BIEN SÛR... MAIS IL Y PAS MAL DE MONDE QUI APPRÉCIE SAKURA, TU SAIS...

PARCE QU'ELLE EST MIGNONNE À EN TOMBER À LA RENVERSE

HÉ OUI !

JE SAIS...

PEU

PAR EXEMPLE...

QUI DONC ?

BEN, HIIRAGI-ZAWA...

QUAND IL REGARDE SAKURA, ON RESSENT AUTRE CHOSE QUE DE L'AMOUR.

ON VOIT QU'ELLE COMPTE BEAUCOUP POUR LUI ET QU'IL VEUT LA PROTÉGER.

JE CROIS QUE C'EST UN PEU DIFFÉRENT POUR ERIOL...

C'EST PLUTÔT DE LA GENTILLESSE !

123

OUI, C'EST BIEN SON AURA...

JE LE SENS... À L'INTÉRIEUR DE L'ÉCOLE...

MAIS...

POURQUOI CES DEUX-LÀ SONT ARRIVÉS AVANT MOI ?

PARCE QUE JE SUIS PASSÉE CHEZ ELLE AU RETOUR...

POUR ESSAYER DE NOUVELLES TENUES !

TU ES DÉCIDÉMENT PLEINE D'ATTENTIONS POUR ELLE...

TU L'AIDES, TU LUI FAIS DES VÊTEMENTS...

ALORS QUE MOI JE NE FAIS RIEN...

PAS DU TOUT !

IL Y A PLEIN DE CHOSES QUE TU SAURAIS FAIRE !

130

MAIS...

INUTILE DE PRENDRE RACINE ICI !

IL FAUT MARCHER VERS LA SOURCE DE L'AURA !

OUI !

COMMENÇONS PAR LÀ !

LA SALLE DE DESSIN...

PAR OÙ SORTONS-NOUS ?

LA SALLE DE MUSI- QUE ?

SI ON POUVAIT ATTEINDRE LE LIEU DE NOTRE CHOIX, CELA SERAIT...

MAIS ON NE SAIT PAS OÙ ON DÉBARQUE !

EST-CE QU'AU MOINS

ON REMETTRA LES PIEDS DEHORS ?

À SUIVRE

ÇA
MÈNE
ENCORE
À UN
AUTRE
ENDROIT
!

OH
NON
!

NE
PLEURE
PAS
!

ÇA NE T'AVANCERA À RIEN !

RÉFLÉCHIS...

COMMENT FAIRE POUR RETOURNER DANS LA SALLE DE DESSIN ?

C'EST BON, J'ARRÊTE DE PLEURER !

IMPOSSIBLE D'OUVRIR UNE PAR UNE TOUTES LES PORTES DE L'ÉCOLE...

ON DIRAIT QU'IL N'Y A PAS DE LOGIQUE AUX LIAISONS ENTRE LES SALLES !

ON PEUT OUVRIR UNE PORTE PLUSIEURS FOIS...

MAIS RIEN NE DIT QUE LA SALLE DE DESSIN VA APPARAÎTRE !

TOMOYO NE POSSÈDE PAS DE POUVOIRS MAGIQUES,

ON NE PEUT DONC PAS LA DÉTECTER...

JE NE VOIS PAS DE CARTES UTILES !

PETIT, TU NE CONNAIS PAS UNE MAGIE POUR RECHERCHER UN INDIVIDU ?

SI LA PERSONNE A LAISSÉ UN OBJET, C'EST POSSIBLE

TOMOYO A LAISSÉ SON PARAPLUIE DANS LA SALLE DES PROFS !

AH ?

SI ON SAVAIT COMMENT Y ALLER, ON POURRAIT AUSSI RETOURNER EN SALLE DE DESSIN !

143

SCRO GNEU GNEU !

J'AI BEAU RÉFLÉCHIR, JE NE TROUVE PAS !

IL FAUT VITE LA RETROUVER !

TOMOYO DOIT AVOIR SI PEUR TOUTE SEULE !

COMMENT FAIRE ?

LA
VOIX DE
TOMOYO
?!

149

JE
SAVAIS
QUE TU
VIENDRAIS
ME SAUVER,
SAKURA
!

28

TOSHINOBU YAMAMOTO

DATE DE NAISSANCE
8 AVRIL

MÉTIER
PROFESSEUR DES ÉCOLES
(ARTS PLASTIQUES)

METS FAVORI
ORTIES DES MONTAGNES

METS DÉTESTÉ
CITRON

APPRÉCIE
LES PROMENADES
MATINALES

COULEUR PRÉFÉRÉE
ROUGE

FLEUR FAVORITE
FLEUR DES RONCES

SAIT CUISINER
GRILLADES AU RIZ

DÉTESTE
LA COLÈRE

HOBBY
FAIRE LES BOUQUINISTES

TALENT
KENDO

TOSHINOBO YAMAMOTO

LA PRÉSENCE DE CLOW S'EST ÉVANOUIE ?

CLANG

RETOUR À LA NORMALE !

QUE S'EST-IL PASSÉ ?

J'AI L'IMPRES-SION QUE QUELQU'UN SE TENAIT LÀ...

AU FIL DE L'ÉVOLUTION DES CARTES,

LA FORCE MAGIQUE DE SAKURA VA EN GRANDISSANT !

JE VOULAIS T'INDIQUER OÙ JE ME TROUVAIS !

JE N'AVAIS RIEN POUR FAIRE DU BRUIT...

EN FAIT,

J'AI ENTENDU TA CHANSON, TOMOYO...

J'AI EU ENVIE DE PLEURER QUAND ON T'A PERDUE !

SI SHAOLAN NE M'AVAIT PAS RETENUE, J'AURAIS FONDU EN LARMES !

JE N'ARRIVAIS PAS À TROUVER DE SOLUTIONS...

ET J'AI ENTENDU TON CHANT !

154

MAIS J'AI ENCORE UN PINCEMENT AU CŒUR...

J'AI, UNE FOIS DE PLUS, LOUPÉ TES ACTIONS ET LE MOMENT CRUCIAL OÙ TU CHOISISSAIS TA CARTE !

CES DERNIERS TEMPS, JE NE FILME PAS LES MEILLEURS MOMENTS, ET ÇA M'ATTRISTE ! LES PELUCHES MOUTONS, LA BRUME, ET TOUT...

WOÉ ?

EH BEN !

POUR TON CŒUR BLESSÉ, TOMOYO, JE VAIS FAIRE DES POSES SPÉCIALES À FILMER !

CLING

OH HO HO HO HO HO

ALORS ?

OH HO HO HO HO

MERCI !

POURQUOI ?

ET CETTE POSE ? SERVICE SPÉCIAL

OH HO HO HO

TU M'AS EMPÊCHÉ DE PLEURER !

156

BLAH

JE PEUX VOIR ?

HEIN

BLAH

C'EST TRÈS GENTIL !

GÉ-NIAL !

ERIOL, TU ES DOUÉ POUR LE DESSIN !

OUI, TU LUI RESSEMBLES...

DÉSOLÉE POUR AUJOUR- D'HUI !

DIRE QUE TU AS FAILLI LE RÉVÉLER À SAKURA...

KÉLO A TOUT CHAMBOULÉ

PSCHOU

TU LUI DIRAS TOUT AUJOURD'HUI ?

MAIS ELLE EST OCCUPÉE, C'EST PAS LE MOMENT !

SHAOLAN !

BOBO BOBO DOWAK !

OH PARDON !

JE NE VOULAIS PAS T'EFFRAYER !

ON ÉTAIT EN PLEINE DISCUSSION HIER...

APRÈS LA NUIT À L'ÉCOLE...

JE PENSAIS QUE TU VOULAIS POURSUIVRE...

BOBOBOBOM BOBOM

BON, JE VAIS CONTINUER MON DESSIN !

À TOUTE !

KESSEU KIYA ?

165

HEIN ?

YUKI, JE CROIS QUE...

DÉSOLÉÉÉÉE DE DÉRANGEEEER !

TSUKISHIRO, ÇA VA ?

TOYA...

LES PROFS TE DEMANDENT DE VENIR, ON FAIT UN MATCH DE BASE-BALL...

SANS TOI ET TSUKISHIRO, L'ÉQUIPE NE JOUE QU'À SEPT !

JE SUIS ENCORE OCCUPÉ...

MAIS C'EST NOTÉ, SI TU NE PARTICIPES PAS, TU AURAS ZÉRO !

ÇA VA ALLER, AKIZUKI !

TO-YAAAA ! VIIIITE !

POP

DIS AU PROF QUE JE LAISSE TOMBER LE MATCH !

EEEE ?!

LE PROF VA SE FÂCHER, ET ÇA ENNUIE TOUT LE MONDE !

C'EST BON !

MAIS VOYONS TOYA...

J'AI À FAIRE AVEC YUKI,

ALORS LAISSE-MOI !

OU... OUI !

TU LUI AVAIS DIT

"JE NE VOUDRAIS PAS QUE DISPARAISSE..."

JE SAIS, YUÉ...

SI EN PRENANT TOUTE MON ÉNERGIE, ON ARRIVE À SAUVER YUKI, ALORS PRENDS TOUT !

LE MAÎTRE QUI SOUTIENT MON EXISTENCE EST ENCORE FAIBLE, TU SAIS CE QU'IL FAUDRAIT FAIRE...

OUI ...

MAIS TU NE REVERRAS PLUS JAMAIS TA MÈRE...

CE N'ÉTAIT PAS JUSTE QUE JE SOIS LE SEUL À LA REVOIR...

Titre original :
CARD CAPTOR SAKURA, vol. 9
© 1999 CLAMP
All Rights Reserved
First published in Japan in 1999
by Kodansha Ltd., Tokyo
French publication rights
arranged through Kodansha Ltd.
French translation rights : Pika Édition

Traduction et adaptation : Reyda Seddiki
Lettrage : Sébastien Douaud

L'édition originale de cet ouvrage
a été publiée dans le sens de lecture
japonais. Les images ont été retournées
pour l'édition française.

© 2001 Pika Édition
ISBN : 2-84599-104-5
Dépôt légal : mars 2001
Imprimé en Allemagne par Clausen & Bosse
Diffusion : Hachette Livre

...les entreprises...

© 2003 ... Müller, 2003

© 2003 Claude ...

All Rights Reserved

First published in Japan in 2003
by Kodansha, Tokyo

French publication rights
arranged through Kodansha Ltd.

French translation rights Edition

Traduction de ... Kevin Hadley
Tamae Schieun Doaru

L'édition anglaise ... e ... l'ouvrage
a été ... pour ... ouvrage
... Les images ... l'édition française.

© 2003 ... Éditions ...
ISBN 2-84599-184-5

... Broché ... mars 2004
Imprimé en Allemagne par Clausen & Bosse
Diffusion Hachette Livre

DÉJÀ PARUS

À PARAÎTRE

NOUVELLES ÉDITIONS